Le vin rouge

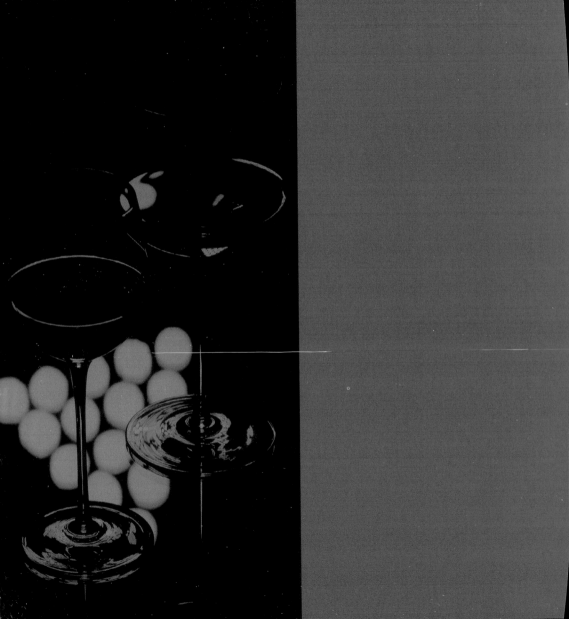

André Dominé

Le vin rouge

Photographie
Armin Faber
Thomas Pothmann

Feierabend

© 2003 Feierabend Verlag OHG
Mommsenstr. 43
D-10629 Berlin

Coordination de projet de l'édition française : Bettina Freeman
Traduction de l'allemand : Barbara Fontaine, Paris
Lectorat spécialisé : Cécile Carrion, Cologne
Layout : Roman Bold & Black, Cologne
Design : Sonja Loy, Cologne
Lithographie : Kölnermedienfabrik, Cologne
Impression : Christians Druckerei GmbH & Co. KG, Hamburg

Printed in Germany

ISBN 3-936761-63-9
62-04003-1

Sommaire

France

Grèce

Portugal

Italie

Coup d'œil

Espagne

USA

Suisse

Argentine

Chili

sur le **monde** des **vins rouges**

Le monde des vins rouges est varié. Et ceci n'est pourtant qu'un infime échantillon de leur réelle diversité. Certains vins ne se donnent guère la peine d'attirer l'œil. D'autres semblent presque crier : « Prends-moi ! » Quelques producteurs de vin appliquent leur goût des beaux-arts aux étiquettes. D'autres s'en remettent à la carte de visite transmise par leurs aïeux. Mais il est très rare que l'image révèle la qualité du contenu. Les noms des viticulteurs, villages, paysages, régions et pays offrent plus de renseignements sur la nature du plaisir qui attend les amateurs de vin.

Autriche

Australie

Afrique du Sud

Allemagne

Il faut avoir un bon nez. En fait, nous l'avons tous. Il suffit juste de savoir l'incliner dans le verre pour pouvoir aspirer le bouquet enivrant du vin dans les règles de l'art. Si on le souhaite, on peut même cracher ou tirer la langue.

Ce vin rouge sent la myrtille, le cassis et la cerise sauvage. Il sent aussi la réglisse et la vanille. Un autre arôme se dégage qui fait penser au cèdre et à la menthe. Quelle chance que mes amis aussi aient un nez pour le vin rouge !

Célèbres amateurs

Qu'ils aient été poètes ou penseurs, peintres ou musiciens, scientifiques ou hommes d'Etat, les amateurs de vin rouge sont tellement nombreux que leur goût peut passer pour norme et qu'on ne les évoquera pas tous individuellement. Le philosophe Erasme de Rotterdam, l'homme de lettres John Gay, le peintre Henri de Toulouse-Lautrec ou des hommes politiques comme Sir Robert Walpole, Napoléon et Georges Clémenceau faisaient partie du club. De nos jours, de nombreuses stars du show-business ou de la politique se laissent même photographier avec l'objet de leur passion : on inspire manifestement confiance un verre de vin rouge à la main. Ils furent nombreux à entretenir leur marotte. Napoléon, par exemple, n'entendait renoncer nulle part à son cher chambertin Clos du Bèze. Mais il veillait aussi à ce que ses soldats n'aient pas soif. Cependant, peu d'hommes ont eu une réputation d'amateur de vin aussi sérieuse que celle de Thomas Jefferson, le troisième président des Etats-Unis. Envoyé à Paris de 1785 à 1789, il en profita pour approfondir sa connaissance des vins.

de vin rouge

Lors d'un séjour à Bordeaux en 1787, il se fit très exactement renseigner. Dès lors, il prit personnellement contact avec les marchands de vin ou les viticulteurs. Il put ainsi s'assurer les excellents millésimes 1784, notamment en Château Lafitte et Château Margaux. Plus tard, il commanda aussi d'abondantes quantités de la non moins bonne année 1787. Jefferson fit inscrire ses initiales sur les bouteilles qui n'étaient pas réservées à George Washington, alors président en fonction. Au début de l'année 1985, quelques-unes de ces bouteilles historiques sont apparues à Paris. Le 5 décembre 1985, une bouteille de Lafitte portant les initiales « Th. J » a été acquise aux enchères chez Christies, à Londres, contre la somme de 105 000 livres, par l'éditeur américain Malcolm Forbes, qui en a fait don à son Musée des présidents. C'était alors la bouteille de vin la plus coûteuse du monde. Dès avant son séjour parisien, Jefferson avait commencé à cultiver la vigne sur ses terres de Virginie. Pendant plus de trente ans, il tenta d'acclimater des ceps de vigne européens, sans aucun succès. Il dut finalement se rabattre sur les cépages américains.

L'
amour
du
vin

On dit que le rouge est la couleur de l'amour. Mais pas seulement car, comme chacun sait, le rouge est aussi la couleur du vin. Or si l'amour est rouge comme le vin, comment pourrait-on ne pas être amoureux du vin rouge ? Ce qu'on dit de la marmite et de son couvercle s'applique tout aussi bien au verre et au vin : chacun ou chacune finira bien par trouver un jour son vin rouge – que ce soit un chianti ou un bordeaux, un zinfandel, un lemberger ou un mourvèdre.

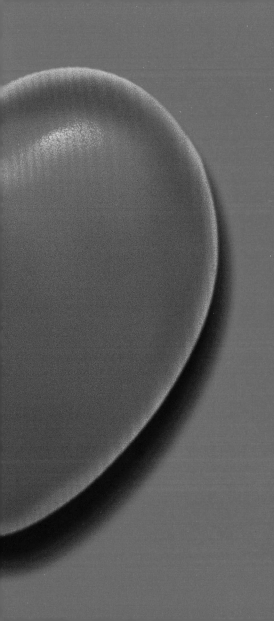

« Un vin rouge, s'il vous plaît. »

En trois petits mots, on a déjà annoncé
la couleur. On n'est ni un buveur de
bière ni un amateur de schnaps. Les
boissons sans alcool, qu'elles soient
familières ou exotiques, nous intéressent
aussi peu que les mélanges géniaux du
barman, si spectaculaires soient-ils.
On ne demande rien de plus que du
vin rouge. Rien de plus ? Cette simple
commande révèle en réalité la pierre de
touche de tout bar, bistro, restaurant ou
hôtel : il vaut mieux éviter les endroits
où l'on vous sert un verre de vin rouge
sous le nez sans aucun commentaire.
Ce n'est d'ailleurs pas l'abondance des
vins sélectionnés sur la carte qui peut
nous convaincre. Quelques mots suffisent
souvent à nous faire comprendre qu'on
est à la bonne adresse. Par exemple :
« Ce montepulciano est le meilleur vin
rouge que nous ayons. » On se sent tout
de suite compris et en de bonnes mains.
Bien sûr, on ne sait pas encore si nos
goûts vont coïncider. Mais on a en tout
cas rencontré quelqu'un pour qui le vin
est aussi une passion.

... le vin devint

2500 av. J.-C.

C'est en Egypte que sont réalisées les premières peintures funéraires représentant la viticulture et la dégustation du vin : les vignes sont cultivées en espaliers. Les ouvriers foulent la récolte avec les pieds et font fermenter le moût dans des amphores. Dès les alentours de 2000 avant J.-C., on note sur ces amphores le cépage (toujours rouge), l'emplacement des vignobles ainsi que l'année de la récolte. Même le propriétaire ou le gérant sont parfois mentionnés. On suppose que ces vins contenant beaucoup de sucre résiduel ont une forte teneur en alcool. En tout cas, les classes supérieures apprécient beaucoup ce plaisir. On laisse même déjà vieillir certaines cruches.

92

L'empereur Domitien interdit la plantation de nouveaux vignobles dans le territoire romain et ordonne l'arrachage des vignes dans un grand nombre de provinces, notamment la Narbonnaise, actuel Sud de la France. Il tente par cette mesure de limiter la consommation croissante de vin de ses sujets – il s'agit sans doute de rosé – et d'exploiter de nouvelles surfaces pour le blé dont il a cruellement besoin. Mais sa tentative s'avérera un échec. Dès son entrée en vigueur, le décret est largement ignoré avant d'être levé par l'empereur Probus en 270.

1150

Dans les nouvelles caves Vougeot, les moines cisterciens réussissent quelque chose de sensationnel. Au lieu de mettre immédiatement le moût dans les barriques, comme c'était alors l'usage, et ce qui donnait d'ailleurs un clairet plutôt pâle, ils versent les raisins dans de grandes cuves à fermentation et les foulent à plusieurs reprises avec les pieds. Il en résulte un vin rouge carmin dont la couleur ressemble enfin à celle du sang du Christ. Le vin rouge sec est né.

1663

A Londres, un vin dénommé « Ho Bryan » fait sensation parmi les connaisseurs. Il est goûteux, plein de caractère et d'une couleur rouge intense. Arnaud de Pontac a développé ce premier vin de château bordelais dans son domaine de Haut-Brion. Les vignes prennent racine dans les graves, des terrains caillouteux, et les raisins sont mis à fermenter plus longtemps que d'habitude.

rouge sang

2010

Au terme de violents débats, l'Office International de la Vigne et du Vin a publié une ordonnance contestée stipulant – comme cela a déjà été ordonné pour les produits alimentaires – que les additifs doivent être signalés sur l'étiquette placée au dos de la bouteille. Parmi les 130 substances chimiques au minimum que peut contenir le vin, il y a, outre les expédients traditionnels que sont le souffre et le cuivre, des acides phosphoriques, du tétracozanole, de l'azinphosméthyle, le fludioxonil, le chlorothalonil, l'oryzaline, le dicofol, le pyréthrine, le metalaxyl, le lufenuron, le quizalofopethyl … Les associations de consommateurs de vin du monde entier ont salué cette résolution courageuse comme un progrès, même s'il reste à craindre que de nombreux fabricants de vin de taille moyenne ne puissent plus dorénavant remplir que des magnums.

1850

Le père de l'unité italienne, Camillo Cavour, engage l'œnologue Louis Oudart. A partir du nebbiolo, il crée à Grinzane Cavour le premier vin exceptionnel du Piémont. Ce barolo jouit très vite d'une reconnaissance mondiale.

1951

De retour du Bordelais, Max Schubert crée chez Penfolds, à partir de cépages shiraz, le célèbre Grange Hermitage, le premier grand cru australien.

2000

Ce n'est pas l'année du siècle, mais elle a produit de bons rouges dans de nombreuses régions.

Les bienfaits du vin rouge

C'est tombé comme une bombe : en 1991, le docteur Serge Renaud a exposé dans une émission de

et dans les pays méditerranéens qu'aux Etats-Unis. D'autres recherches ont permis d'établir que la consom-

les jours en quantité modérée, même l'alcool peut être bénéfique grâce au fait qu'il dilue le sang et

vaisseaux sanguins, empêchent la formation des caillots de sang et pré- munissent contre les radi-

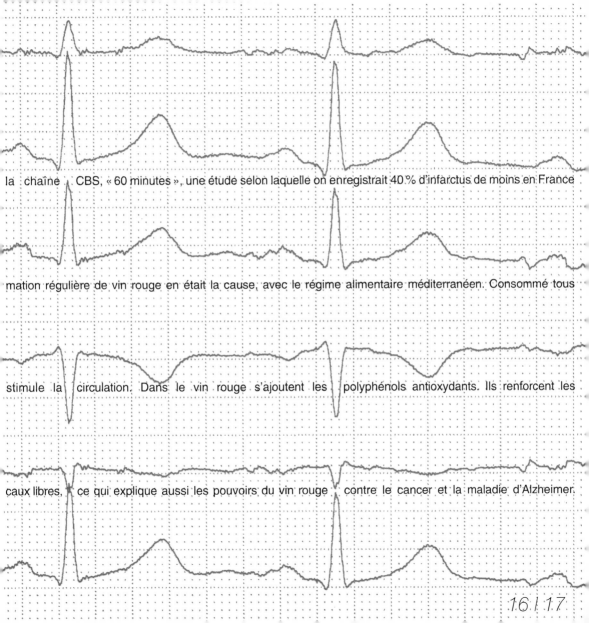

la chaîne CBS, « 60 minutes », une étude selon laquelle on enregistrait 40 % d'infarctus de moins en France

mation régulière de vin rouge en était la cause, avec le régime alimentaire méditerranéen. Consommé tous

stimule la circulation. Dans le vin rouge s'ajoutent les polyphénols antioxydants. Ils renforcent les

caux libres, ce qui explique aussi les pouvoirs du vin rouge contre le cancer et la maladie d'Alzheimer.

16 / 17

Se baigner

Depuis que les hommes font fermenter le jus de raisin, ils ont toujours été tentés de s'y baigner.
Ils rêvent du vin comme d'une fontaine de jouvence dont on ressort sans rides et plein d'une nouvelle vitalité. Ils ne pouvaient pas savoir alors qu'en plongeant dans le vin rouge avec tous ces espoirs ils étaient assez près de la vérité.
En effet, ce qui donne même à la peau une nouvelle fermeté et un éclat soyeux, ce sont ces si célèbres polyphénols, ces tanins qui agissent aussi contre l'artériosclérose. Ils sont présents sous forme hyperconcentrée dans les pépins de raisin et servent de base aux bains et applications nouvellement préconisés en « vinothérapie ».

dans le vin

Voici les plus connues parmi les 1000 substances contenues dans le vin (en plus de l'eau, de l'alcool et du sucre résiduel) :

Teneur en vitamines (en mg par litre)

	Moût	Vin
Acide ascorbique (Vitamine C)	38 – 95	0
Thiamine (Vitamine B1)	0,10 – 0,5	0,04 – 0,05
Riboflavine (Vitamine B2)	0,003 – 0,08	0,008 – 0,3
Acide pantothénique (Vitamine B5)	0,5 – 1	0,4 – 1,2
Pyridoxine (Vitamine B6)	0,3 – 0,5	0,2 – 0,5

Teneur en sels minéraux (en g par litre)

	Moût	Vin
Potassium	1 – 2,5	0,7 – 1,5
Calcium	0,04 – 0,25	0,01 – 0,2
Magnésium	0,05 – 0,2	0,05 – 0,2
Sodium	0,002 – 0,25	0,002 – 0,25
Fer	0,002 – 0,005	0,002 – 0,02
Phosphore	0,08 – 0,5	0,03 – 0,9
Manganèse	0 – 0,05	0 – 0,05

Teneur en polyphénol (en g par litre)

	Moût	Vin
Anthocyane	0,004 – 0,9	0 – 0,5
Flavone	Traces	0 – 0,05
Tanin	0,1 – 1,5	0,1 – 5

Les mystères de la baie

Au commencement était le grain de raisin. Car c'est lui qui contient tout ce qui fait le vin. La coupe transversale d'un grain de raisin rouge montre, en plus des pépins, la pulpe, qui constitue 80 à 90 % de son poids. Elle est composée de beaucoup d'eau et de sucre, et même dans les grains rouges elle est toujours d'une couleur verte très claire (à l'exception des rares cépages färberreben). D'où cette question cruciale : comment cette substance claire peut-elle donner un vin rouge foncé ? Tout le secret réside évidemment dans la couleur de la peau. C'est elle qui renferme la plus grande partie de toutes les autres substances dont dépend le vin : en tout premier lieu les arômes et les couleurs ainsi que les tanins les plus délicats. Le reste est contenu dans les pépins et dans la rafle. La vinification consiste d'ailleurs aussi à libérer ces tanins et à bien les utiliser. Car leur traitement sera un critère de qualité décisif une fois que le vin rouge sera dans le verre.

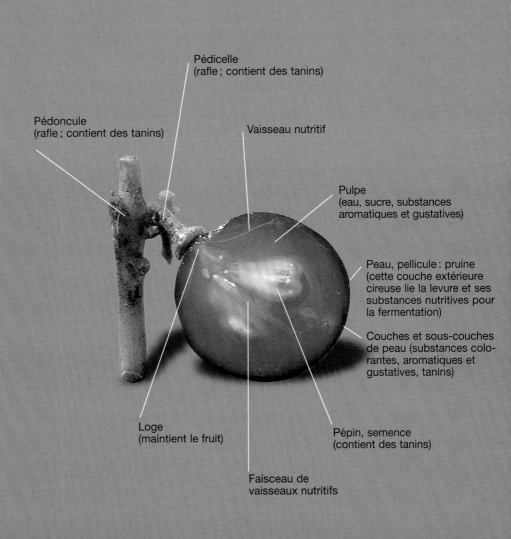

Pédicelle
(rafle ; contient des tanins)

Pédoncule
(rafle ; contient des tanins)

Vaisseau nutritif

Pulpe
(eau, sucre, substances
aromatiques et gustatives)

Peau, pellicule : pruine
(cette couche extérieure
cireuse lie la levure et ses
substances nutritives pour
la fermentation)

Couches et sous-couches
de peau (substances colo-
rantes, aromatiques et
gustatives, tanins)

Loge
(maintient le fruit)

Pépin, semence
(contient des tanins)

Faisceau de
vaisseaux nutritifs

1 Merlot
Plein, rond, velouté, fruité avec un doux tanin, vin de garde ; à la mode un peu partout.

2 Cabernet sauvignon
Très complexe, charpenté, goût de cassis et de cèdre, tanin accentué, vieillit bien ; très prisé dans le monde.

3 Syrah
Très aromatique, complexe, généreux, charpenté, tanin subtil ; a de plus en plus d'amateurs.

4 Pinot noir
Variété très raffinée de vin rouge ; magnifiquement fruité, fin, tanin noble, se conserve bien.

5 Tempranillo
Le plus raffiné des vins espagnols, accent fruité avec d'élégants tanins ; vieillit parfaitement.

Le hit-parade international du vin rouge

TOP

La vedette de l'année

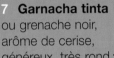

6 Sangiovese
Le plus cultivé en Italie ; aromatique, nerveux, tanin subtil, vin de garde.

7 Garnacha tinta
ou grenache noir, arôme de cerise, généreux, très rond ; gagne en caractère.

8 Barbera
D'un vin ordinaire, il est devenu une vraie star au fruité séduisant, diversifié et structuré.

9 Zinfandel
Le vin culte de la Californie ; goût de mûre et de compote, très épicé, tannique, velouté et accompli.

10 Malbec
En Argentine, se distingue par son fruité opulent et la douceur de son tanin ; un vin en plein essor.

Nebbiolo
Vin du Piémont remarquable par sa complexité et sa longévité ; ex : le barolo.

Cabernet franc
Vin de Loire en plein essor depuis peu ; fruité exquis, velouté, corps et style.

Mourvèdre
Vin délicat à la maturation tardive ; mais superbe tanin, vieillit parfaitement et atteint une grande subtilité.

Pinotage
Variété star en Afrique du Sud ; baies rouges intenses, herbes épicées, bonne charpente et potentiel.

Blaufränkisch
ou lemberger ; se suffit à lui-même, doucement fruité, nerveux et tanin subtil, vin de garde.

Quelques bons tuyaux

La culture de la vigne

Pour la plupart des consommateurs, le vin rouge évoque la chaleur. Pourtant, les vins rouges ne l'apprécient que bien dosée. La majorité des vignobles rouges préfèrent un climat tempéré. Les vins les plus équilibrés prospèrent dans les régions où la température estivale moyenne avoisine les 20 °C. Dès que ce niveau est sensiblement dépassé, la qualité s'en ressent. Le but de tout viticulteur est bien sûr de réaliser de bons rendements. Mais s'il veut produire de la qualité, il est obligé de respecter la vie de la terre, d'infléchir soigneusement maladies et parasites et de maîtriser sa production.

1 Pentes raides de l'Ahr

4 Terrasses de la vallée
du Douro

2 Déclivité idéale en
Bourgogne

5 Terrain schisteux dans
le Priorato

3 Terrain pierreux au bord
du Rhône

6 Marne calcaire dans
le Piémont

Le terroir

Que signifie cette formule magique si souvent murmurée ? Elle désigne la combinaison entre le sol, l'orientation, le climat, le cépage et – le viticulteur à qui il incombe d'exprimer tout ceci dans son vin. Quand le terroir est respecté, on obtient des vins avec une personnalité individuelle, infalsifiable et inimitable. Le vin devient alors une œuvre d'art. Le vigneron ne s'acquitte pas de cette tâche tout seul, il a besoin de multiples soutiens : seule une microflore intacte dans un sol vivant permet un échange entre la vigne et la nature du sol ou de la pierre. Et c'est cela qui permet à l'emplacement d'imprimer son sceau à une variété. C'est pourquoi les meilleurs vignerons du monde n'accepteront jamais qu'on s'en prenne à leurs « microbes ».

La vendange

La récolte à la main reste la méthode la plus soigneuse.

Sans aucun doute le moment le plus important de l'année pour les viticulteurs, qui tremblent à son approche. Les deux, trois semaines précédant la récolte ont une influence encore plus décisive sur la future qualité du vin qui dépend en particulier d'une maturité optimale. Celle-ci détermine la concentration en sucre des baies, qui répond de la teneur en alcool. Ce qui est essentiel pour le vin rouge, c'est la maturité phénolique puisqu'elle a une influence sur les couleurs (anthocyane) et les tanins. L'idéal voudrait que tout se trouve à un même stade de maturité, mais au fil des ans un viticulteur scrupuleux se risquera bien à laisser le raisin rouge quelques jours de plus sur la vigne pour que ses tanins mûrissent tout à fait et évitent de donner ensuite cet indésirable goût « vert ».

Le déroulement de la floraison
oriente la future récolte.

Les fruits se forment vite puisqu'ils
poussent en 100 jours.

Avant la récolte, on vérifie tous les
jours le poids du raisin.

C'est du moût que dépend
toute la saveur d'un vin.
Les peaux des baies ren-
ferment couleurs, arômes
et tanins. Quand elles sont
moulues, elles entrent en
contact optimal avec le
moût en fermentation.

Fermentation du

Le système de pompage est efficace pour extraire de la peau le maximum de couleur, de tanin et d'arôme.

Mais il ne s'agit pas de livrer le moût à lui-même. Car en peu de temps les peaux, ce qu'on appelle le chapeau de marc, remontent à la surface du moût et risquent donc de ne pas entrer suffisamment en contact avec lui. Il existe divers moyens permettant de poursuivre l'extraction. Le remontage consiste à récupérer le vin par le bas du réservoir et à le verser à nouveau par en haut à l'aide d'une pompe. Le délestage consiste à retirer entièrement le moût de façon à ce que le chapeau de marc tombe dans le fond de la citerne et à le reverser par en haut. La méthode la plus douce reste le pigeage. Il s'agit de broyer le chapeau avec les pieds ou avec un instrument mécanique et de l'immerger dans le vin. C'est la meilleure façon de donner au vin sa couleur, son arôme et son tanin.

moût et pigeage

Histoire de barriques

Les Celtes étaient en avance sur les Romains dans un domaine : l'invention des barriques. Mais ces derniers se convertirent rapidement et firent aussi de cette « outre » en bois leur récipient à vin privilégié, surtout pour le transport. C'est pourquoi on fabriquait les tonneaux avec de solides douves, dans des volumes différents suivant les régions.

Pour les vins les plus ordinaires, on utilisait généralement des tonneaux de 500 à 600 litres, appelés demi-pièces. Mais les régions produisant de meilleurs crus, avant tout le Bordelais et la Bourgogne, recoururent bientôt à de plus petits formats.

Avec l'essor des vins de château bordelais, on a commencé à s'intéresser davantage aux barriques. On s'est mis à renouveler plus souvent les barriques de 225 litres, à les désinfecter avec du souffre et à veiller à ce qu'elles soient toujours bondonnées. Car il est indispensable

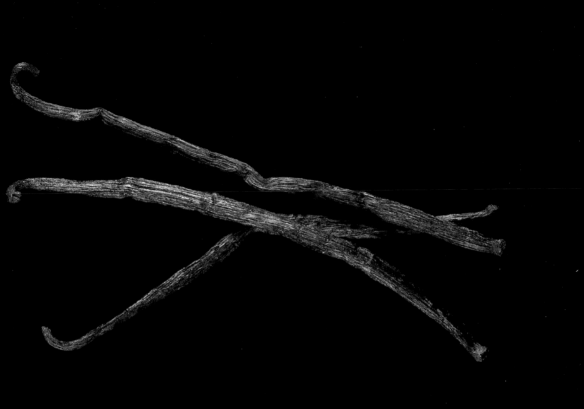

d'élever les vins rouges de qualité dans des fûts en bois de chêne. Le vin en tonneau entre idéalement en contact avec l'air. Cette oxydation douce aide le vin à mûrir, à développer des arômes plus complexes et à arrondir ses tanins. Notre manie des barriques est une invention récente. Les progrès de la vinification ont permis à des œnologues de reconnaître les effets positifs du bois de chêne neuf : sa vanilline enrichit le bouquet et le goût, ses tanins affinent ceux du vin. Les producteurs de vin californiens ont été les premiers à miser sur la qualité du bois bien séché. Les barriques sont maintenant répandues dans le monde entier – et les imposteurs parfument des vins ordinaires avec des copeaux de chêne bon marché : on est dans la cosmétique pure.

Copeaux de chêne versés dans les citernes.

Poids plume

Les vins rouges se répartissent en diverses catégories de poids. Les buveurs débutants ont plutôt intérêt à frayer avec les poids plume. Ils dégagent un arôme de fruits rouges, ont souvent une fraîcheur agréable et sont peu tanniques. Ce sont par exemple les primeurs, les beaujolais et les valpolicella.

Les poids moyens qui montent sur le ring sont issus des cépages et des régions les plus variés. Leur truc n'est pas la force, mais plutôt la souplesse et l'élégance. Il s'agit notamment du pinot noir et du sangiovese ainsi que de nombreux vignobles classiques et bien tempérés.

de vin rouge

Poids lourds

Attention : il s'agit pour cette catégorie de montrer sa force. Et surtout une puissance tannique hors du commun. C'est la catégorie des bons cabernets sauvignon, notamment du Médoc, mais aussi des syrah et des baroli.

Les poids super-lourds mettent sur la balance un important volume corporel et une forte teneur en alcool. Le shiraz premium le dispute ici à la puissante cuvée Napa. Le priorato, le châteauneuf et les meilleurs crus du Midi peuvent aussi très bien rivaliser.

Espérance de vie

Le vin a accompagné le vigneron styrien Walter Skoff tout au long de sa vie. Et il n'hésite pas à attribuer à son verre quotidien le fait qu'aujourd'hui, à 80 ans, il se sente toujours aussi robuste et heureux.

Mais qu'en est-il de l'espérance de vie du vin ? Ne nous faisons pas trop d'illusions !

1. Aucun vin rouge ne se conserve éternellement, et surtout pas les vins de table.
2. Un vin rouge âpre, dur et maigre ne deviendra jamais un grand cru harmonieux.
3. Les vins très prisés n'ont pas pour autant un plus haut potentiel de vieillissement, contrairement à ce qu'on a tendance à croire.

Remarque : Chaque vin a sa propre espérance de vie. Mais tous traversent généralement cinq phases d'évolution.

1938, 16 ans

1942, 20 ans

Dans leur jeunesse, ils ont le charme du fruit primaire. Suit généralement un stade intermédiaire renfermé et peu attractif. C'est alors qu'ils commencent à déployer de plus en plus leurs arômes secondaires et tertiaires, jusqu'à atteindre leur apogée. Ils y restent plus ou moins longtemps avant de décliner assez rapidement et de perdre leur arôme.

Ces phases s'étendent sur une durée variable selon la structure du vin. Elle peut aller de trois à cinq années pour un rouge léger. Seuls les vins à haute concentration survivent à plusieurs décennies.

1972, 50 ans

1986, 64 ans

2002, 80 ans

« Combien de temps puis-je garder ce vin rouge ? » Les vignerons et les marchands de vin connaissent cette question par cœur. Pourtant, 90 % des acheteurs qui la posent auront bu le rouge en question dans les 48 heures !

La gamme des

Orange
Des vins vieillis dont la structure colorée n'est pas stable peuvent avoir des reflets orange. C'est le cas du barolo et du barbaresco. Si cette teinte orangée est visible sur le bord du verre, pour les cépages bien colorés, elle témoigne d'un âge avancé.

Brun-rouge
Cette teinte caractérise un grand nombre de vins concentrés.

Rouge cerise sombre
La robe des vins jeunes de bonne extraction mais d'une faible intensité de couleur, comme le garnacha, le cinsault etc.

Noir
Certains vins rouges jeunes provenant de cépages aux couleurs intenses, comme le tannat et le malbec, semblent d'un noir presque d'encre quand leur moût a longtemps fermenté.

Noir violacé
C'est la couleur des cépages très jeunes à la peau épaisse, comme le cabernet franc, le syrah et le zinfandel.

rouges

Rouge cerise clair
Telle est la robe des vins pauvres en extrait, provenant surtout de régions nordiques comme l'Allemagne, ou des vins produits en masse.

Rubis
On le trouve chez des vins de structure moyenne âgés de deux ou trois ans, comme le chianti ou le rioja.

Rubis foncé
Cette couleur caractérise des vins ayant une bonne concentration en couleur et mis en bouteille depuis une année ou deux. Exemple typique: le bordeaux.

Rouge cerise foncé
Un rouge très profond avec des reflets noirs est caractéristique des jeunes vins de qualité issus de cépages cabernet, syrah ou tempranilla à fermentation longue.

Pourpre
Certains jeunes vins avec une bonne concentration, comme le pinot noir, le nebbiolo et le barbera, ont cette robe aux reflets violets.

Rouge tirant sur le bleu
C'est la couleur de cépages tels que le blaufränkisch ou les vins portugais, quand leurs couleurs ont été bien extraites.

Violet
Un violet aux reflets scintillants distingue de très jeunes crus d'extraction moyenne issus de syrah, dolcetto, gamay, dornfelder etc.

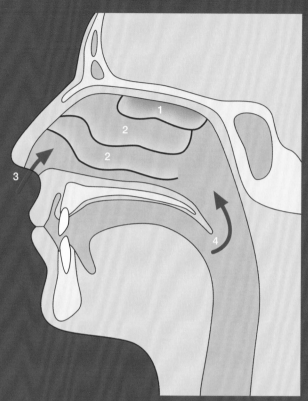

L'odeur d'un vin est infiniment plus complexe que son goût. C'est notre organe olfactif qui est sollicité. Son centre, l'épithélium olfactif (1) qui fait 2,5 cm², se situe dans le plus haut des trois cornets (2). C'est là que 10 millions de cellules nerveuses attendent les molécules odorantes. C'est d'abord à travers l'inspiration (3) que ces dernières arrivent dans les cornets (chez les connaisseurs, un reniflement intense suffit). Des odeurs montent en outre par la cavité buccale (4). Enfin, l'identification des informations contenues par les molécules odorantes se fait dans le cerveau.

Coupe transversale de l'épithélium olfactif : sous le mucus se trouvent, entre les cellules de soutien et les cellules basales, les cellules olfactives à proprement parler (ici en vert). Elles étirent leurs cils olfactifs vers les molécules odorantes. Le tissu conjonctif se trouve en-dessous.

La langue ne peut distinguer que quatre saveurs élémentaires : sucré, salé, acide et amer. A cela s'ajoute dans l'espace pharyngal la perception de la texture, liquide ou épaisse, sèche ou grasse. Mais tous les arômes sont saisis en outre par l'épithélium olfactif, où ils arrivent par le canal rétronasal. C'est pourquoi les dégustateurs avertis aspirent un peu d'air dans la bouche en même temps que le vin. Les bourgeons gustatifs se nichent dans l'épithélium, c'est-à-dire la couche de peau supérieure des papilles (voir ci-dessous) qui perçoivent des stimulations gustatives particulièrement fortes à la racine de la langue.

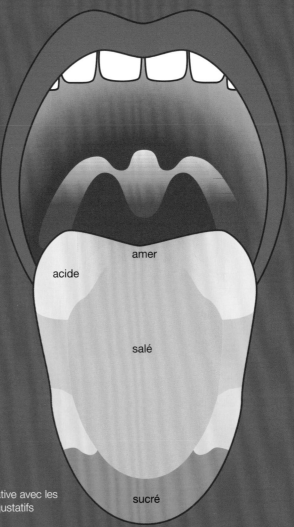

amer

acide

salé

sucré

Le goût

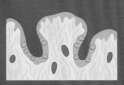

Papille gustative avec les bourgeons gustatifs

Un des plus grands plaisirs des œnophiles consiste à tremper le nez dans leur verre. Même s'il arrive que ces expériences se terminent par des parties joyeusement arrosées, il n'est pas question de prendre la dégustation pour une partie de plaisir. La concentration est nécessaire, d'abord au-dessus et autour du verre, pour percevoir les impressions sensorielles que provoque chaque vin. Il s'agit de les comparer, de les analyser et de les mettre en mots. Les sens s'arrêtent en premier lieu sur la robe du vin. Pourtant, il vaudrait mieux ne pas la prendre pour guide et ne s'en servir que plus

Savoir déguster et vider son verre

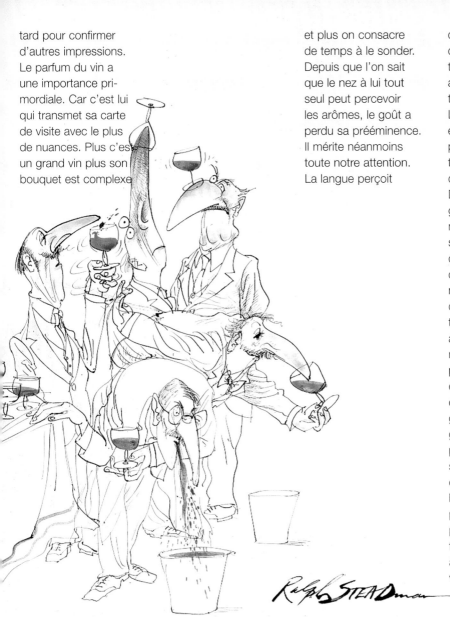

tard pour confirmer d'autres impressions. Le parfum du vin a une importance primordiale. Car c'est lui qui transmet sa carte de visite avec le plus de nuances. Plus c'est un grand vin plus son bouquet est complexe

et plus on consacre de temps à le sonder. Depuis que l'on sait que le nez à lui tout seul peut percevoir les arômes, le goût a perdu sa prééminence. Il mérite néanmoins toute notre attention. La langue perçoit

d'abord la combinaison des saveurs fondamentales (sucré, salé, acide, amer) ainsi que la texture et l'ampleur du vin. La diversité, l'intensité et la durée des notes perçues dans le palais témoignent clairement de la qualité du vin. D'autres expériences gustatives passionnantes sont censées se produire plus loin dans le pharynx, là où commence la descente, mais cela suppose que le vin ait une certaine classe. Attention aux descentes trop rapides ! Ce n'est pas pour rien que le vin est de tous les aliments celui qui possède la gamme d'expressions gustatives la plus complexe. Enfin, après s'être disputée sur chaque bouteille débouchée, il ne reste plus à la joyeuse compagnie que de faire le fameux « test belge » : à savoir mesurer quel vin a été le plus visité.

Ralph STEADman

On se mit soudain à voir

«rouge»

Durant les siècles derniers, les vins rouges de qualité tels qu'on en trouve aujourd'hui un grand choix dans presque tous les supermarchés étaient réservés à une minorité noble et fortunée. On produisait en parallèle dans chaque région viticole un vin rude et ordinaire qui était censé aider le bas peuple à faire descendre sa maigre pitance. Ce vin lui apportait en outre un complément énergétique dont il avait grand besoin dans la mesure où il travaillait dur, que ce soit en ville ou à la campagne.

Pour entretenir la force – et l'humeur – des ouvriers industriels français, on fit déferler au 19ème siècle, du Sud au Nord, une vague rouge douteuse : le gros rouge était né. Dans des bouteilles consignées fermées par des bouchons de plastique, mais décorées par des étoiles, il conquit par la suite les ménages de l'après-guerre. L'économie se rétablit lentement et le désir de vin rouge se réveilla aussi dans le Nord. Les bouteilles de deux litres d'un lambrusco douceâtre et pétillant ou d'un amselfelder et d'un kadarkas sucrés facilitèrent la prise de contact des consommateurs profanes avec le rouge. Deux puristes en revanche firent exception : le chianti sec et acide dans sa fiasque tressée et le valpolicella bénéficiant de la vogue mondiale des pizzas. Tout un chacun se mit à aller au restaurant en famille et à s'offrir pour l'occasion une bouteille de vin. Depuis, c'est aux experts en marketing et en emballage qu'il revient d'acheminer des masses de vins vers des masses de gens. Même les bouteilles en plastique ou les briques de vin font l'affaire étant donné la modestie des groupes qu'ils ciblent.

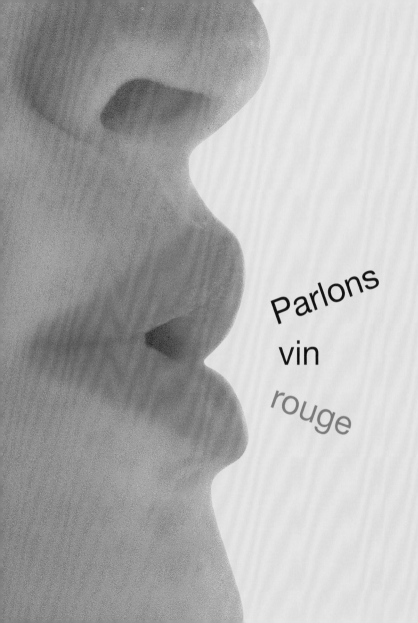

Parlons vin rouge

agréable
animal
aromatique
mûre
fin
charnu
dur
cerise
réglisse
long
longévité
mentholé
poivron
fumé
riche
rond
rustique
velouté
cassis
charpenté
tannique
foncé
profond
végétal
fondu
complexe
volumineux
épicé
cèdre

angenehm	gradito, piacevole	agradable	pleasant
animalisch	animalesco	animal	gamy
aromatisch	aromatico	aromático	aromatic
Brombeere	mora	mora	blackberry
fein	fine	fino	fine
fleischig	carnoso	carnoso	fleshy
hart	duro	duro	hard
Kirsche	ciliegia	cereza	cherry
Lakritz	liquirizia	regaliz	liquorice
lang	lungo	largo	long
Langlebigkeit	longevo	potencial de envejecimiento	long lifespan
mit Minzgeschmack	con aroma di menta	mentolado	minty
Paprikaschote	peperone	notas de pimiento	green or red pepper
rauchig, geröstet	fumoso	ahumado	smoky
reichhaltig	ricco	rico	rich
rund	armonico	redondo	round
rustikal	rustico	rústico	rustic
samtig	vellutato	sedoso	velvety
Schwarze Johannisbeere	ribes nero	cassis	black currant
(gut) strukturiert, kraftvoll	ben strutturato, robusto	estructurado	powerful, robust
tanninreich	tannico	tánico	tannic
tiefdunkel	scuro	color profundo o oscuro	dark
tiefgründig	profondo	profundo	profound
unreif	acerbo	vegetal	unripe
verschmolzen	fuso	meloso	mellow
vielfältig	complesso	complejo	complex
wuchtig	voluminoso	voluminoso	big
würzig riechend	con fragranza di spezie	especiado	spicy
Zeder	cedro	cedra	cedar

Tempé

rature de service

C'est une mauvaise habitude très répandue que de servir le vin rouge trop chaud. Même dans les bons restaurants, on continue à croire au mythe de la température ambiante. Mais cela remonte – comme la plupart des mythes – à une époque où il n'y avait encore ni chauffage central ni balcons. En principe, on ne devrait jamais servir le vin rouge à plus de 18 °C, et encore. Seuls les rouges riches en tanin nécessitent une si haute température. Il y a en fait deux facteurs à prendre en considération :

1. Plus un vin rouge est léger, jeune et fruité, plus on devrait le servir froid. La limite inférieure se situe aux alentours de 10 °C. Par exemple, les primeurs et les vins de pays se servent à 10–12 °C, le beaujolais, le valpolicella et le lemberger à 12–13 °C.

2. Plus un vin rouge est vieux et charpenté, plus on a intérêt à le déguster « chaud ». Exemples : 14–15 °C pour le chianti, le rioja, le côtes du Rhône et le zinfandel, 15–16 °C pour le bourgogne, 16–17 °C pour le bordeaux.

Dé...

Tire-bouchon électrique

Tire-bouchon par pompe à air

Sommelier Laguiole en T avec spirale ouverte, lame coupe-capsule et décapsuleur repliable

Tire-bouchon ressort en T à double pas de vis

Modèle classique en T du design moderne

Tire-bouchon « cloche » en plastique

Screwpull® avec spirale ouverte, lame coupe-capsule et poignée repliable

Tire-bouchon à double levier dit « papillon »

Screwpull® avec vis recouverte de téflon, d'un maniement particulièrement simple et sûr

Sommelier « Shark » en T avec lame coupe-capsule et décapsuleur repliable

Screwpull® en T avec spirale ouverte

boucher

Seuls les cas d'extrême nécessité devraient nous amener à pousser le bouchon dans la bouteille. D'autant plus qu'il existe paraît-il des règles – tacites – selon lesquelles ce serait alors à l'homme d'intervenir… Depuis que les bouchons ont conquis au 17ème siècle le goulot des bouteilles, on se creuse la cervelle pour trouver le moyen le plus simple de les retirer. On peut choisir la spirale ouverte (au cœur de laquelle on peut glisser un cure-dents) à la pointe aiguisée qui n'abîme pas le bouchon inutilement. Le papillon et le sommelier utilisent l'effet de levier, d'autres modèles à ressort enfoncent une spirale dans le bouchon et le font sortir sans trop d'effort grâce à une deuxième spirale.

Tire-bouchon à lames servant aussi à reboucher les bouteilles

L'ART DU

Ci-dessus : pour nettoyer une carafe, le mieux est d'utiliser un torchon propre et de l'eau chaude. Des comprimés d'oxygène permettent d'enlever les dépôts.

Ci-dessous : la carafe « canard », un classique du genre.

DÉCANTAGE

Autrefois, seuls les vins vieux étaient transvasés de la bouteille dans une carafe. Les vins rouges et le porto vintage en particulier peuvent former avec les années des dépôts importants. Pour empêcher que cette lie ne se dépose dans le verre au moment où l'on verse le vin et qu'elle n'en gâte le goût, on verse soigneusement le vin dans une carafe – après avoir laissé la bouteille debout pendant deux jours au maximum. Il convient ce faisant d'observer le goulot à la lumière d'une lampe ou d'une bougie pour pouvoir interrompre le versement au moment où l'on aperçoit le dépôt. Les petites carafes sont recommandées pour le vin vieux dans la mesure où elles empêchent que le vin entre trop en contact avec l'oxygène et donc ne s'oxyde. Pour servir un vieux cru de qualité, on peut aussi parfaitement utiliser un simple panier à bouteille. De nombreux vins jeunes préfèrent

Le panier maintient la bouteille en biais, ce qui évite de remuer les dépôts.

en revanche entrer suffisamment en contact avec l'oxygène pour pouvoir s'épanouir et développer toute l'ampleur de leurs arômes. Dans ce cas, les carafes à grande contenance sont recommandées.

Les vins mûrs
ont souvent développé
un bouquet complexe
mais fragile. Pour le sa-
vourer pleinement, il faut
un verre bombé, forte-
ment rétréci vers le haut.

Les rouges jeunes
n'ont pas besoin d'être
dans un ballon pour dé-
ployer leur arôme inten-
sément fruité. Une tulipe
à long pied est plus con-
forme à leurs exigences.

Le bourgogne,
comme tout vin épicé
aux accents de baies,
préfère un verre bom-
bé se rétrécissant
légèrement puis s'éva-
sant à l'ouverture.

Le chianti classico, ainsi que les autres rouges moyennement corsés, légèrement aci-dulés et au tanin discret, gagnent en harmonie dans des verres élancés.

Les très charpentés concentrés et tanniques ont besoin de beaucoup d'air, l'idéal pour eux est donc un grand verre à haut vase.

Les veloutés développent et concentrent de préférence leurs arômes dans un large ballon au bord légèrement rétréci.

Dégustation à l'aveugle

« Quand un vin a plus de 95 points, on ne peut pas se le payer, quand il a entre 90 et 94 points, on n'en trouve plus nulle part, et quand il a moins de 89 points, personne n'en veut. »
Citation d'un marchand de vin américain

Système de notation américain

95 –100	sublime, catégorie mondiale
90 – 94	excellent
85 – 89	bon à très bon
80 – 84	convenable à bon
75 – 79	moyen
70 – 74	au-dessous de la moyenne
60 – 69	insuffisant
50 – 59	très insuffisant

Système de notation français

18 – 20	qualité exceptionnelle
16 – 17	excellent, beaucoup de caractère
14 – 15	au-dessus de la moyenne, bon à très bon
12 – 13	satisfaisant
10 – 11	suffisant
7 – 9	faible et défectueux
moins de 7	gravement défectueux

Système d'étoiles

*****	qualité exceptionnelle
****	excellent, très recommandable
***	bon à très bon, recommandable
**	assez bon, satisfaisant
*	acceptable

Ne sommes-nous pas tous aveugles dès lors que nous avons en main un verre dont nous connaissons le nom, l'origine et le fabricant, et que nous avons peut-être déjà savouré à table en bonne compagnie ? La dégustation à l'aveugle est née de la nécessité d'estimer la qualité du vin de la manière la plus objective possible. Il ne s'agit pas de fermer les yeux, mais de couvrir les bouteilles. Le dégustateur ne sait pas d'où provient le vin qu'il a devant lui. Généralement, on déguste à l'aveugle des vins d'une même région viticole, parfois même d'un même cépage ou d'une même catégorie marchande. Les dégustateurs se concentrent sur l'odeur et le goût de chaque vin et donnent aussi un avis sur sa couleur. Ils notent générale-ment leurs impressions en quelques mots et leur donnent ensuite des points.

L'Américain Robert Parker fait fureur avec sa re-vue *The Wine Advocat.* Adepte du système de notation en 100 points, le jugement de Robert Parker s'est révélé tellement pertinent par rap-port au marché qu'il peut désormais décider à lui tout seul du destin commercial d'un vin. Le problème des dégustations à l'aveugle, c'est qu'il s'agit souvent de tester jusqu'à une vingtaine de vins et même plus. Or seuls les plus intenses et les plus puissants ont une chance de s'imposer face à leurs concurrents. Les vins plus raffinés sont condamnés à rester en rade. Il est prouvé que ce phénomène a déteint sur le style du vin, notamment du rouge. Et on reproche à certains viticulteurs de « tailler » leurs vins pour les dégustations, c'est-à-dire de les faire particulièrement sombres, gras et charpentés…

Les vins rouges

Depuis une dizaine d'années, les rouges européens classiques ont subi une importante concurrence de la part des régions viticoles du Nouveau Monde. Des vins plus mûrs, plus généreux et plus alcoolisés ont touché le goût des consommateurs. Le cabernet et le merlot occupent souvent le devant de la scène. Pourtant, l'avenir n'appartient pas à l'uniformité mais aux spécialités. Aujourd'hui, ce sont les cépages régionaux installés depuis longtemps qui intéressent les viticulteurs et les fabricants. En même temps, des régions encore sous-estimées hier prouvent qu'elle sont capables de produire une qualité supérieure. Bonne nouvelle pour les amateurs : la planète du vin continue à tourner.

du monde

France
Bordelais
Sud-Ouest
Loire

Le Bordelais est la plus célèbre région de vin rouge en France. Son image est véhiculée depuis 1855 par les 61 crus classés du Médoc. Parmi les vins du Médoc et des Graves, c'est le cabernet sauvignon qui donne le ton avec des vins riches de caractère, souvent renfermés quand ils sont jeunes et vieillissant très bien. C'est sur la rive droite de la Dordogne, surtout à Saint-Emilion et Pomerol, que règne le merlot. Ces vins rouges nous séduisent par leur velouté et leur harmonie. Les autres appellations du Sud-Ouest ont quelque mal à s'affirmer face au puissant bordeaux. C'est le madiran qui s'en sort le mieux avec son tannat riche en contrastes. Les vins de garde les plus denses de la vallée de la Loire sont issus du cabernet franc.

✗ Surface viticole totale :
914 000 hectares
✗ Production de vin :
5,3 milliards de litres
✗ Bordelais :
57 appellations
110 000 ha de vignes
Principaux domaines :
Médoc, 69 millions de litres
Graves, 20 millions de litres
Saint-Emilion, 27 millions de litres
✗ Sud-Ouest :
27 appellations
Principales AOC (rouges) :
Bergerac, 38 millions de litres
Madiran, 7,1 millions de litres
Cahors, 25 millions de litres
✗ Loire :
42 appellations
Meilleurs AOC :
Saumur-Champigny,
8,5 millions de litres
Chinon, 11 millions de litres

La rive droite de la Dordogne   Pétrus superstar   Château Pichon-Bar

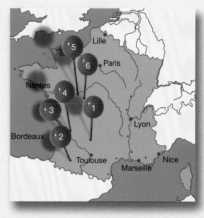

1 Cahors, 2 Madiran, 3 Médoc,
4 Saint-Emilion, 5 Saumur-Champigny,
6 Chinon

Mouton   Au bord de la Loire Saint-Emilion   Les Brumont à Madiran   Cave crayeuse à Chinon

Bourgogne, Beaujolais, vallée du Rhône et Midi

Le pinot noir atteint en Bourgogne le summum de son expression. Ses rendements sont faibles et il nécessite un grand soin, mais il donne des vins légendaires d'une exceptionnelle finesse. De même, le gamay a trouvé dans le Beaujolais sa terre promise. Ce n'est pas l'amusant primeur qui montre son vrai potentiel, mais des crus tels que le morgon, le fleurie ou le moulin-à-vent. Au nord de la vallée du Rhône, le syrah atteint des sommets d'élégance et d'équilibre. Au sud du Rhône se trouvent les fiefs du grenache. Les rouges de Provence ont un style méditerranéen et harmonieux. Les vignerons du Languedoc-Roussillon nous surprennent de plus en plus avec des vins subtils et concentrés.

- ✘ Bourgogne :
  81 appellations, dont 32 grands crus
  25 000 hectares de vignes
  Production : 180 millions de bouteilles, dont 75 de rouge
  AOC les plus célèbres : chambertin, Clos de Vougeot, pommard
- ✘ Beaujolais :
  23 000 ha de vignes
  140 millions de litres
- ✘ Rhône :
  60 000 ha de vignes
  290 millions de litres d'AOC
- ✘ Provence :
  27 000 ha de vignes
  133 millions de litres d'AOC
- ✘ Languedoc-Roussillon :
  300 000 ha de vignes
  270 millions de litres d'AOC

1 Languedoc-Roussillon, 2 Rhône,
3 Provence, 4 Beaujolais, 5 Bourgogne

A gauche : Clos de Vougeot avec caves et château

A droite : Clos de la Maréchale, premier cru d'AOC, Nuits-Saint-Georges dans la commune de Prémeaux

A gauche : les vendanges dans un domaine de la Côte d'Or

A droite : les Hospices de Beaune

Côtes du Rhône du Château Mont-Redon à Châteauneuf-du-Pape

A gauche : Collioure, village de vignerons, de pêcheurs et d'artistes dans le Roussillon.

A droite : les vignes se transmettent de père en fils depuis des générations, mais les pères ne se retirent jamais tout à fait.

Montalcino en Toscane

Vinothèque à Vérone

Dans la région du chianti classico

Bartolo Mascarello, défenseur du barolo traditionnel

Viamaggio en Toscane

Italie
Piémont, Toscane, Italie du Sud

C'est essentiellement dans le Piémont que prospère le noble nebbiolo, qui produit avec le barolo et le barbaresco deux des vins rouges les plus convoités du monde. La Toscane est la patrie du chianti et du chianti classico, mais aussi du brunello di Montalcino et du vino nobile di Montepulciano, à travers lesquels le sangiovese brille par son fruité et sa finesse. Cependant, on parle depuis quelque temps des « super-toscans », des vins de première classe issus d'un cabernet ou d'un merlot. L'Italie du Sud attire de plus en plus l'attention. Ses producteurs nous surprennent avec des spécialités de rouge tels que l'aglianico en Campanie, la basilicata, le nero d'Avola en Sicile ou le cannonau en Sardaigne.

Le barolo a un potentiel d'âge légendaire.

- ✘ Surface viticole totale :
  908 000 hectares
- ✘ Production de vin :
  5,2 milliards de litres
- ✘ Piémont :
  40 000 ha de vignes
  350 millions de litres d'AOC
- ✘ Toscane :
  38 000 ha de vignes
  370 millions de litres d'AOC
- ✘ Sicile :
  24 000 ha de vignes,
  85 millions de litres d'AOC

1 Sicile, 2 Toscane, 3 Chianti, 4 Barolo, 5 Piémont

Ribera del Duero Un grand vin rouge Castillans avisés Le fort de Peñafiel

Espagne Rioja, Ribera del Duero, Priorato

Le monde du vin rouge espagnol se divise en deux. Le vieux monde apporte sur le marché des vins prêts à boire, ceux parmi les *reservas* et les *gran reservas* qui ont mûri en barrique ou en bouteille pendant 3 à 5 ans, ou même plus. Fidèle quant à lui à l'évolution internationale, le monde moderne laisse le vin moins longtemps dans des barriques plus neuves et les sort quand l'élevage est terminé. Le rioja arrive toujours en tête avec des rouges élégants, dont l'éminent trempanillo. Une part importante de sa production est mise sur le marché au stade de vin jeune et fruité. Ribera del Duero a acquis la réputation d'une région de première classe pour les trempanillos charpentés issus d'un seul cépage. C'est le Priorato qui concentre le potentiel restant de l'Espagne, avec ses vins grandioses de Garnacha ou de Cariñena.

✗ Espagne :
surface viticole totale :
1 170 000 hectares
3,2 milliards de litres

✗ La Rioja :
54 000 ha de vignes
230 millions de litres

✗ Ribera del Duero :
12 600 ha de vignes
24 millions de litres

✗ Priorato :
1500 ha de vignes
1,9 millions de litres

✗ Portugal :
Surface viticole totale :
260 000 hectares
0,7 milliards de litres

Portugal

Avec ses 500 cépages, le Portugal dispose aussi d'un potentiel énorme. Les Portugais ont en outre un vrai sens de la tradition pour tout ce qui touche aux vignes et aux caves, sans refuser pour autant toute technologie vinicole. Parallèlement aux grandes régions de vin rouge que sont le Douro, la Bairrada et le Dão, l'Estrémadure et surtout l'Alentejo font de plus en plus parler d'elles grâce à quelques crus très prometteurs.

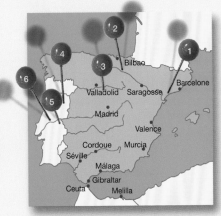

1 Priorato, 2 Rioja, 3 Ribera del Duero, 4 Douro, 5 Dão, 6 Bairrada

Au trot, selon la tradition   Le temps d'un petit rouge   (Vileilla Baixa) dans le Priorato   Un vieux garnacha

Allemagne Suisse Autriche

Le rouge connaît en Allemagne un véritable boom. On boit plus de rouge que de blanc. Les surfaces cultivées pour le vin rouge s'étendent, même jusqu'à la Moselle. L'Ahr est fier d'être la plus nordique des grandes régions de vin rouge. Des spätburgunder raffinés prospèrent également dans le Mittelrhein, dans le Rheingau et dans le pays de Bade. Le Palatinat produit aussi des rouges de plus en plus intéressants, même en cuvées. Mais le Wurtemberg reste sans aucun doute la région productrice de vin rouge la plus attractive, notamment grâce à ses exquis lemberger.

Dans le Tessin suisse, le merlot tend à devenir un vin de première classe. L'Est de la Suisse se prête parfaitement au pinot noir tandis que le canton de Genève affiche un faible pour le Gamay – à raison d'ailleurs, si l'on en croit certaines dégustations. L'Autriche surprend le monde par la haute qualité de ses vins rouges. Qu'il s'agisse de cabernet, de merlot ou de pinot, de blaufränkisch ou de zweigelt, qu'ils proviennent du Weinviertel, de Vienne ou du Burgenland, ils charment à la fois par leur fruité et par leur densité.

✗ Allemagne :
105 000 hectares,
dont 20 000 de rouge
900 millions de litres
✗ Ahr : 525 ha, dont
300 ha de Spätburgunder

✗ Suisse :
15 000 hectares,
120 millions de litres
✗ Tessin : 961 ha, dont
93 % de merlot

✗ Autriche :
51 000 hectares,
250 millions de litres,
dont 25,5 % de rouge
✗ Zweigelt : 9 % = 4350 ha
✗ Blaufränkisch : 5,4 %
= 2650 ha

1 Ahr, 2 Mittelrhein, 3 Rheingau,
4 Palatinat, 5 Wurtemberg, 6 Tessin,
7 Burgenland, 8 Vienne,
9 Weinviertel

La vinothèque de
Deutschkreuz

Le vignoble de R. Pfaffl
dans le Weinviertel

La Maison carrée
à Auvernier

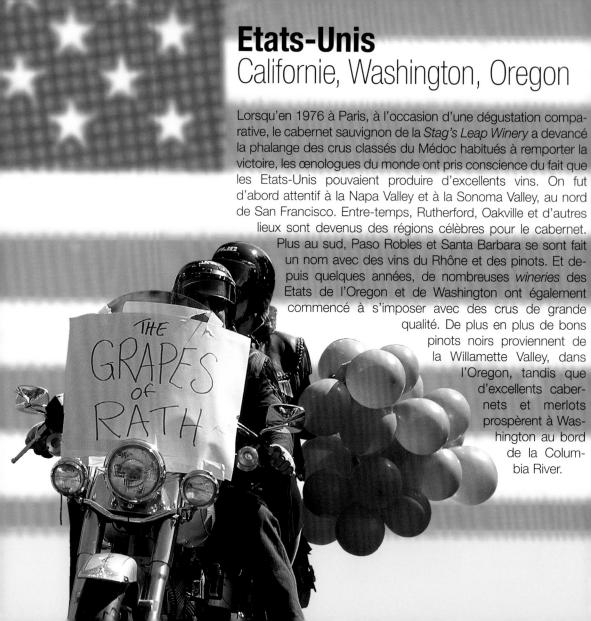

Etats-Unis
Californie, Washington, Oregon

Lorsqu'en 1976 à Paris, à l'occasion d'une dégustation comparative, le cabernet sauvignon de la *Stag's Leap Winery* a devancé la phalange des crus classés du Médoc habitués à remporter la victoire, les œnologues du monde ont pris conscience du fait que les Etats-Unis pouvaient produire d'excellents vins. On fut d'abord attentif à la Napa Valley et à la Sonoma Valley, au nord de San Francisco. Entre-temps, Rutherford, Oakville et d'autres lieux sont devenus des régions célèbres pour le cabernet. Plus au sud, Paso Robles et Santa Barbara se sont fait un nom avec des vins du Rhône et des pinots. Et depuis quelques années, de nombreuses *wineries* des Etats de l'Oregon et de Washington ont également commencé à s'imposer avec des crus de grande qualité. De plus en plus de bons pinots noirs proviennent de la Willamette Valley, dans l'Oregon, tandis que d'excellents cabernets et merlots prospèrent à Washington au bord de la Columbia River.

- ✗ 410 000 hectares de
  surface viticole
  2 milliards de litres
- ✗ AVA (American viticultural
  areas) :
  85 en Californie
  6 en Oregon
  5 à Washington
  49 autres aux Etats-Unis
- ✗ Cépages classés :
  au moins 75 %
- ✗ AVA classés :
  au moins 85 %
- ✗ Vignobles classés :
  au moins 95 %
- ✗ Crus classés :
  au moins 95 %

1 Californie, 2 Napa, 3 Sonoma,
4 Oregon, 5 Washington

Zinfandel   A Washington   Vignoble à Napa Valley   Vente aux enchères

Asado et Trivento   Les dames-jeannes   Le fameux malbec

DAMAJUANAS PARA VINOS

Argentine et Chili

A la différence des autres Etats d'Amérique du Sud, l'Argentine est un pays où l'on boit du vin. Il est vrai que beaucoup d'Argentins sont originaires d'Europe du Sud. Ils ont importé dans le pays des cépages italiens, espagnols et français, dont le malbec. Ce dernier a acquis au pied des Andes un fruité et un velouté merveilleux et il donne les rouges les plus intéressants du pays, suivi du cabernet sauvignon. Les écarts de température importants entre le jour et la nuit leur confèrent des arômes intenses et une structure élégante.

Le Chili bénéficie des conditions idéales pour la culture de la vigne. La proximité du Pacifique tempère son climat plutôt sec, et les nombreux fleuves prenant leur source dans les Andes assurent l'humidité des surfaces cultivées. Tout producteur peut donc réguler son rendement à volonté. Jusqu'à présent, les Chiliens produisaient essentiellement des cabernets et des merlots purs. Le carmenère passe pour une spécialité et le syrah progresse. Quelques-unes des meilleures cuvées attestent que le Chili ne sait pas seulement produire des vins agréables, mais aussi de grands rouges.

- ✘ **Argentine :**
  213 000 hectares de vignes
  1,6 milliards de litres
- ✘ **Province de Mendoza :**
  144 000 ha de vignes
- ✘ **Province de San Juan :**
  49 000 ha de vignes
- ✘ **Province de La Rioja :**
  7000 ha de vignes

- ✘ **Chili :**
  175 000 ha de vignes
  (comprenant le pisco,
  le jus et le raisin de table)
  0,55 milliards de litres
- ✘ **Région de Maipo :**
  5100 ha de vignes
- ✘ **Vallée du Rapel :**
  9200 ha de vignes

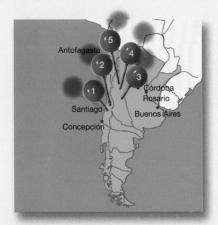

Antofagasta

• 5

• 4

• 2

• 3

Córdoba
Rosario

• 1

Santiago

Buenos Aires

Concepción

1 Vallée du rapel, 2 Maipo, 3 Mendoza,
4 San Juan, 5 La Rioja

Elevage
traditionnel
au Chili

A cheval
entre les vignes

Sélection de
Concha y toro

1 Margaret River, 2 Barossa
Valley, 3 Hunter Valley

✘ 160 000 hectares
   de vignes
   1 milliard de litres
✘ Hunter Valley :
   2200 ha,
   72 wineries
✘ Barossa Valley :
   6700 ha,
   53 wineries
✘ Margaret River :
   3000 ha,
   54 wineries

Australie

Dès le 19ᵉᵐᵉ siècle, la viticulture a pris dans l'hémisphère austral des dimensions considérables. On avait à l'époque une nette préférence pour les vins sucrés dans le style du porto et du sherry. C'est seulement dans les années 1950, avec l'arrivée de nombreux immigrants venus des pays méditerranéens, que la demande en vins de table s'est intensifiée. En 1951, un fabricant de Penfold's devenu célèbre, Max Schubert, a créé avec le meilleur shiraz le fameux Grange Hermitage. Mais il n'a récolté la gloire qu'il méritait qu'à partir de 1962, et tous les producteurs de vins ont suivi sa voie. Ouverts aux innovations techniques et œnologiques, les Australiens ont développé entre-temps une industrie vinicole moderne qui tient compte du goût des consommateurs et fait appel à des experts en marketing pour exporter. Le shiraz hautement aromatique, épicé et corsé est devenu leur enseigne en matière de vin rouge, suivi de près des cabernets et des merlots.

Margaret River

Le légendaire Grange Hermitage

Tarrawarra dans la Yarra Valley

En Tasmanie, chez le pionnier Moorilla Estate

Barossa Valley, en Australie du Sud

Afrique du Sud

Deux événements récents ont infléchi le destin de la viticulture en Afrique du Sud. En 1991, l'abolition de la politique de l'apartheid a éveillé à l'étranger un nouvel intérêt pour les vins du pays. Puis, en 1992, la suppression du système de quotas par lequel la KWV, la *Kooperatieve Wijnbouwers Vereniging,* contrôlait la production depuis 1940 a insufflé une nouvelle dynamique et entraîné la création de nouveaux domaines et de nouvelles entreprises vinicoles. On a pu enfin installer de nouvelles plantations en important des cépages sains parmi les meilleures variétés du monde.

L'Afrique du Sud est donc devenue de plus en plus intéressante pour les œnophiles De nombreux producteurs proposent maintenant, à côté des vins de masse à bon marché, des qualités moyennes et supérieures, et il en résulte des vins de plus en plus attractifs. Le pinotage épicé et fruité qui a souvent une discrète note de banane constitue un cépage indépendant tout à fait séduisant. Mais on produit également de bons cabernets, merlots et bordeaux-blends, notamment à Stellenbosch et à Paarl. La Walker Bay s'avère quant à elle un excellent terroir pour le pinot noir.

Sur le Mont Destin

Franschhoek

La sieste à Stellenbosch

- 118 000 hectares de surface viticole
- 660 millions de litres
- 70 coopératives
- 4600 fermiers-vignerons
- 250 embouteilleurs
- Région de Stellenbosch : 18 000 ha
- Région de Paarl : 19 500 ha
- Région de Worcester : 18 500 ha
- Région de Robertson : 14 000 ha

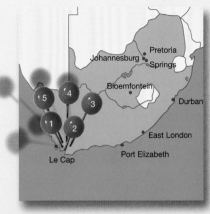

1 Stellenbosch, 2 Walker Bay,
3 Robertson, 4 Worcester, 5 Paarl

Les vendanges à Paarl   Vignobles à Somerset   Fier de sa récolte

Fêtes du vin

France

✦ **Villages de Bourgogne**
Le 4ème week-end de janvier
Saint-Vincent Tournante

✦ **Beaune**
Le 3ème week-end de novembre
Les Trois Glorieuses et
Exposition générale des Grands
vins de Bourgogne

✦ **Pauillac**
1er samedi de septembre
Marathon de Pauillac

✦ **Bordeaux**
en juillet (années paires)
Fête du vin

✦ **Dans les villages du Beaujolais**
Le 3ème jeudi de novembre
Fête du Beaujolais Nouveau

Italie

✦ **Panzano (Florence)**
3ème week-end de septembre
Vino al vino

✦ **Greve in Chianti (Florence)**
2ème week-end de septembre
Rassegna del chianti classico

✦ **Vagliagli (Florence)**
3ème et 4ème week-ends de
septembre
Festa dell'uva

✦ **Barolo (Cuneo)**
2ème week-end de septembre
Festa del vino barolo

✦ **Dogliani (Cuneo)**
Une semaine en septembre
Sagra del dolcetto di Dogliani

✦ **Auer/Ora (Bolzano)**
Fin octobre
Unterlander Weinkostwoche

Espagne

✦ **Tacoronte (Teneriffe)**
3ème semaine de mai
Semana Vitivinícola alhondiga

✦ **Haro (La Rioja)**
En juin
Batalla del Vino

✦ **Valdepeñas**
1ère semaine de septembre
Fiesta de la vendemia

✦ **Cariñena (Saragosse)**
Mi-septembre
Fiesta de la vendemia

✦ **Logroño (La Rioja)**
19 septembre
Fiesta de la vendemia

✦ **Barbastro (Huesca)**
2ème moitié d'octobre
Fiesta del vino del somontano

Allemagne

✦ **Weinstadt-Beutelsberg**
3ème week-end de février
Weintreff der Remstalroute

✦ **Stuttgart-Rotenberg**
4ème week-end de mai
(du ven. au dim.)
Schlossbergfestival

✦ **Mayschoss**
1er dimanche de novembre
Jazz & Wein

✦ **Eltville**
1er dimanche de décembre
Erntedankfest der Rheingauer
Winzer

Autriche

✦ **Kellergasse Jetzelsdorf**
3ème week-end de septembre
Haugsdorfer Hüatagang

✦ **Gumpoldskirchen**
3ème week-end de septembre
Stürmische Begegnungen auf
der Sturm- und Mostmeile

✦ **Kellergstetten**
2ème samedi d'octobre
Poysdorfer Winzerlauf

✦ **Stolzendorfer Kellergasse**
2ème semaine de novembre
Weinherbst

Les pays traditionnels du vin proposent quantité de fêtes vigneronnes ouvertes à tous. Chacun doit néanmoins s'acquitter de sa boisson et de son repas, même si on peut parfois s'y faire offrir un verre. Le nombre de ces festivités est tellement énorme que nous n'en proposons qu'ici une petite sélection à titre indicatif. Les fêtes du vin se multiplient aussi dans les pays du Nouveau Monde, surtout aux Etats-Unis, en Australie et en Nouvelle-Zélande. Mais elles sont généralement organisées par des *wineries* isolées, s'adressent essentiellement à des clients fortunés et ne mettent à disposition qu'un nombre de places limitées. Les offices du tourisme compléteront ces informations partout où vous irez dans le monde. Attention : les dates indiquées ci-contre peuvent changer.

Comment marier ce rouge?

Il en va souvent d'un vin et d'un plat comme des hommes et des femmes. C'est tantôt un partenaire qui domine, tantôt l'autre, un jour on s'adore, un jour on se déteste. Mais il suffit d'un peu d'attention pour trouver une coexistence harmonieuse, et on est alors récompensé par des moments de passion intense.

• Les rouges à tendance fruitée, à boire de préférence jeunes et frais, se proposent d'accompagner des plats simples comme les pizzas et les pâtes, la charcuterie et les ragoûts.

• Les rouges élégants aux tanins délicats s'unissent volontiers à des partenaires raffinés tels que les carpaccios et les tourtes à la viande, les champignons et les volailles sauvages, le coq au vin et le filet de bœuf.

• Les rouges généreux et veloutés sont des sentimentaux qui conviennent à beaucoup de partenaires. Ils s'entendent particulièrement bien avec la cuisine méditerranéenne riche en légumes et en viandes grillés.

• Les rouges étoffés et tanniques s'accouplent de préférence avec d'opulentes viandes en sauce. Mais leurs relations sont également harmonieuses avec un rôti de bœuf, un gigot d'agneau ou du gibier rôti.

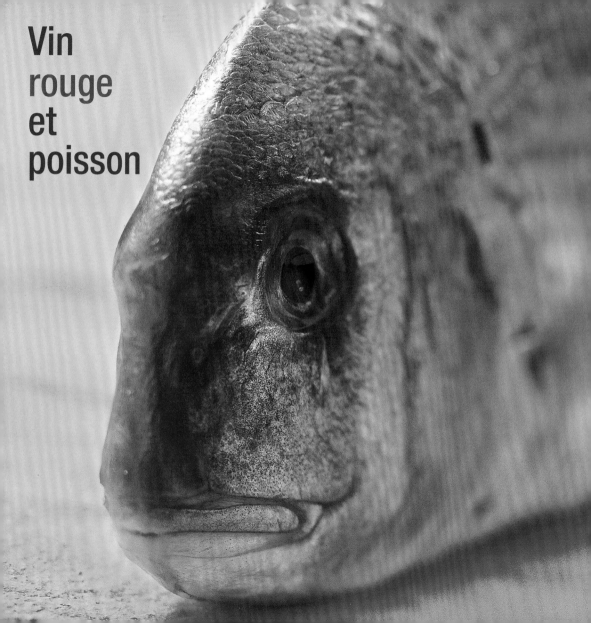

Vin
rouge
et
poisson

Il n'y a pas si longtemps encore, il aurait été impensable, presque monstrueux même d'offrir du vin rouge avec le poisson. Mais heureusement, tout ce qui est bon est désormais autorisé. Plus rien n'empêche de faire de savoureuses expériences. Il est vrai que le poisson et le vin rouge ne font pas souvent bon ménage. Il est sûr qu'un tanin très puissant ne s'accorde pas avec une sole. De manière générale, les vins concentrés et fortement alcoolisés ne sont pas recommandés. Mais un beaujolais, un bardolino, un trollinger fruités ou un délicat saumur-champigny peuvent très bien accompagner un certain nombre de poissons et de fruits de mer, surtout grillés ou préparés au four. Le saumon, le rouget et le thon grillés se marient même avec des rouges plus robustes comme un côtes du Rhône ou un merlot. Ce n'est pas seulement la façon de les préparer qui doit déterminer notre choix du vin, mais aussi les ingrédients utilisés. Accompagné d'un excellent vin rouge, le turbot aux cèpes devient par exemple un véritable délice. Servie avec une ratatouille, la lotte n'a rien contre un rouge de Provence. Dès lors qu'on aromatise un poisson aux herbes de Provence, on peut même choisir des vins rouges du Sud ayant du tempérament. Et si on accommode la morue avec des pommes de terre, pourquoi ne pas varier les plaisirs en choisissant un rioja ou un navarra?

Drama turgie en rouge

Plat principal :
côtelettes d'agneau,
pommes de terre
sautées et ratatouille,
avec un Rioja Gran
Reserva d'au moins
six ans d'âge.

Entrée :
artichauts alla romana
et jambon San Daniele,
avec un dolcetto agréable
et léger.

Dessert :
poire au vin rouge
(avec un côtes du
Rhône). Pour la sur-
prise, un zinfandel
de Californie doux.

L'ordre des vins que l'on recommandait autrefois dans un men – et que l'on continue parfois à préconiser – est actuellemen considéré comme un véritable crime : le vin rouge le plus vieux et le plus noble était traditionnellement réservé au fromage, et s possible à un fromage bien mûr. Or celui-ci, avec sa graisse e son sentiment, tuait impitoyablement le rouge le plus délicat. I ne lui laissait pas la moindre chance de déployer les multiples e infimes arômes de son âge. Il faut toujours y penser quand or planifie dans un menu la succession des vins rouges. I convient certes de commencer avec des vins jeunes et légers que l'on sert frais. Mais au cas où l'or aurait un vieux rouge à ouvrir, le début du repas est sans doute le meilleur moment. Ca il vaut mieux lui faire succéde des vins plus charpentés e plus tanniques. Ceux-ci se marient parfaitement avec des plats substantiels bien épicés, mais mo- dérément salés. E pour couronner le re- pas, un rouge agréa- ble, bien velouté et assez fruité fera très bien l'affaire.

Fromages : ami du Chambertin, soumatrain, cîteaux ou chèvre de Bourgogne, avec un pinot noir jeune de Bourgogne, un Côtes-de-Nuits.

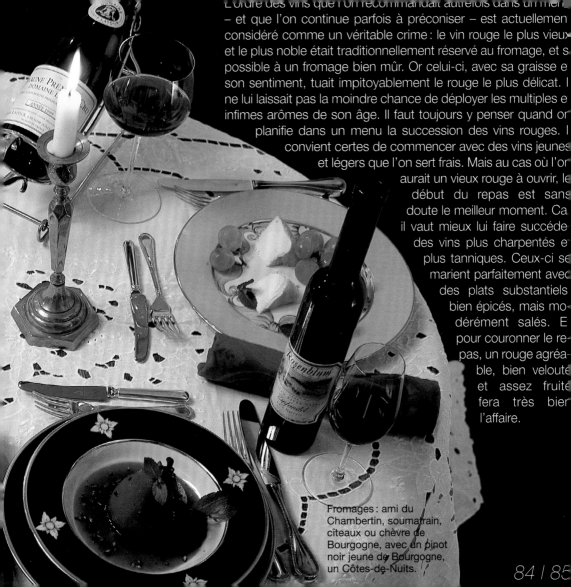

Comme on fait son lit...

il vieillit

N'importe quel vin que l'on coucherait à la lumière du jour, comme notre exubérant Adonis, aurait vite fait de se renfrogner. Car la lumière est un des pires obstacles au vieillissement du vin. Suivi de près par la chaleur, et surtout par les variations de température. Une température supérieure à 15 °C accélérera sensiblement le processus de maturation dans la bouteille. De constants écarts de température n'empêchent pas seulement le vin d'être au calme, ils peuvent même faire perdre son étanchéité au bouchon. Il est connu qu'un fort taux d'humidité atmosphérique est un facteur favorable, à la différence des secousses ou même des odeurs. Remisés dans un endroit à la fois calme, sombre, frais et humide, les vins rouges peuvent même vieillir pendant plusieurs décennies à condition qu'ils aient la structure adéquate.

Les meilleurs millésimes

sont toujours ceux que l'on a. Il suffit de savoir comment en user. Ceux qui veulent vraiment faire leurs achats en suivant les millésimes doivent étudier l'ensemble des régions viticoles importantes sans se limiter au Bordelais. Les vrais amateurs de vin connaissent cette règle de base : « Achète des petits crus chez les grands vignerons et des grands crus chez les petits vignerons. » A condition de les déguster à temps, les petits crus peuvent procurer un vrai plaisir. Les crus moyens gagnent à attendre quelques années, tandis que seuls les grands vins des grandes années peuvent être entreposés plusieurs décennies.

Page de gauche : ainsi fait son lit l'Autrichien Leo Hillinger, Adonis du vin.

Une cave bien équipée est un vrai plaisir des yeux pour les amateurs de vin.

Le vin rouge

Peut-on décemment écrire sur cette relation en état de sobriété ? Faut-il préciser que le vin rouge aide à irriguer le cerveau et l'approvisionne en oxygène, le rendant ainsi plus réceptif à tous les charmes et favorisant donc aussi la libido ? Qui ignore encore que le vin rouge peut aider à faire oublier ces petites barrières qui nous privent parfois de notre bonheur ? Doit-on rappeler aussi que le vin arbore la couleur de l'amour, pénétré d'une chaleur agréable qui n'attend que d'être partagée ? Et rend la peau de l'autre si délicieusement veloutée…

et l'amour

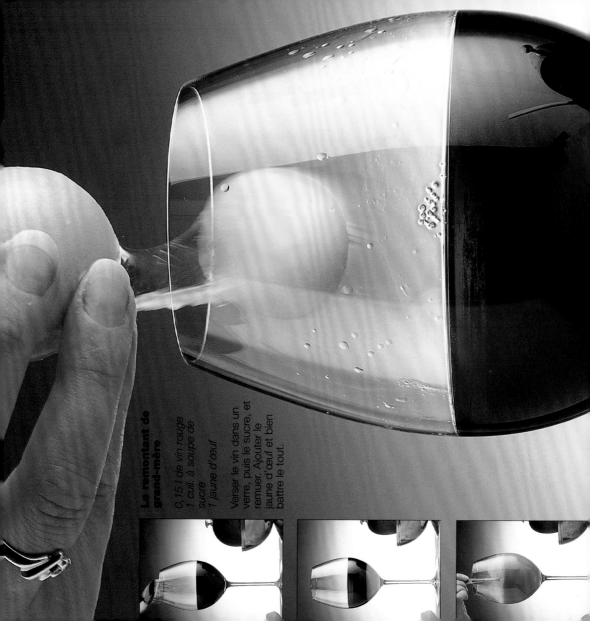

Le remontant de grand-mère

*0,15 l de vin rouge
1 cuil. à soupe de sucre
1 jaune d'œuf*

Verser le vin dans un verre, puis le sucre, et remuer. Ajouter le jaune d'œuf et bien battre le tout.

Cocktails au vin rouge

Sang turc

1 citron non traité
quelques glaçons
1 bouteille de vin rouge
1 bouteille de vin
mousseux

Couper le citron non
épluché en fines ron-
delles, ôter les pépins
et mettre les rondelles
dans un pichet de 2 li-
tres. Ajouter les glaçons
et verser le vin rouge
par-dessus. Laisser
infuser 20 minutes.
Retirer les rondelles de
citron et verser le
mousseux bien glacé.

Claret cup

3 cuil. à soupe de sucre
0,1 l de porto
20 ml de curaçao
le jus d'un citron
1 bouteille de bordeaux
1 bouteille d'eau minérale
10 fraises
quelques épluchures de
concombre
1 pincée de noix de mus-
cade

Mélanger dans un pichet
le porto, le curaçao et le
jus de citron. Verser le
bordeaux et l'eau minéra-
le, bien remuer, ajouter
les fraises, garnir avec les
épluchures de concomb-
re et râper un peu de
noix de muscade par-
dessus. Servir bien frais.

Manhattan-cooler

4 verres de vin rouge
20 ml de rhum
2 cuil. à soupe de sucre
le jus de 2 citrons
de l'eau minérale
des glaçons

Mettre tous les ingré-
dients sauf l'eau et les
glaçons dans un shaker
et bien mélanger.
Répartir les glaçons
dans quatre grands
verres à cocktail, y ver-
ser la préparation et
ajouter l'eau minérale.

Beurre rouge
(pour 6 à 8 portions)

100 g d'échalotes
250 g de beurre
0,25 l de côtes du Rhône
1 cuil. à soupe de persil haché
sel et poivre du moulin

Faire revenir les échalotes fine-
ment hachées dans 1 cuil. à
soupe de beurre. Les étouffer
avec le vin rouge et faire fortement réduire. Laisser refroidir.
Battre le beurre en mousse, y
incorporer la décoction et assai-
sonner avec le sel et le poivre.
Accommode parfaitement les
steaks.

Bœuf bourguignon
(pour 4 personnes)

1 kg de bœuf (paleron)
100 g de lard fumé
200 g d'oignons
300 g de carottes
50 g de beurre
sel et poivre du moulin
2 cuil. à soupe de farine
3 gousses d'ail
1 bouquet garni
1 bouteille de bourgogne rouge

Découper la viande en gros
dés, le lard et les légumes éplu-
chés en petits morceaux. Faire
chauffer le beurre dans une
cocotte, y faire revenir d'abord
la viande, puis les légumes.
Saler et poivrer, saupoudrer de
farine. Ajouter l'ail et le bouquet
garni, verser le vin et laisser
mijoter deux bonnes heures.

La cuisine au vin ROUGE

Et bien non, les vins bouchonnés ou vinaigrés n'ont pas plus leur place dans la cuisine que les restes d'un vin à la mode trop boisé. Il vaut mieux utiliser des crus bien droits, n'ayant pas été en contact avec du bois, par exemple un spätburgunder et un merlot, un sangiovese et un garnacha, un côtes du Rhône, un rouge du Midi ou du sud de l'Italie. Attention aux tanins trop forts et aux vins trop acides! Les rouges savent rendre d'immenses services quand il s'agit de faire mariner et mijoter de la viande sombre comme le bœuf ou le gibier. Le coq au vin est aussi un délice, par exemple avec un pinot noir.

L'enfer des **taches**

La plus fervente passion du vin rouge traverse une crise quand un plein verre de vin se renverse sur la table, la nappe, une jupe ou un pantalon, une chemise, un pull ou une veste, ou même sur un tapis. Quelle horreur ! Il s'agit de réagir vite. La recette de famille la plus éprouvée consiste à recouvrir la tache de vin rouge d'une grande quantité de sel, de laisser agir environ cinq minutes et de bien rincer. Pour le tapis, il suffit de bien frotter la tache avec une brosse. Les détachants du commerce peuvent être utiles si la tache a déjà séché. Si vous n'en avez pas sous la main, faites dissoudre deux cuillerées à soupe de lessive dans un verre d'eau chaude et appliquer cette solution sur la tache. Frottez ensuite avec de l'eau claire et séchez avec un chiffon. Au fait, si vous voulez connaître la méthode la plus géniale pour éliminer les taches de vin rouge…

…nous vous conseillons de vous reporter à notre livre sur **le vin blanc.**

Le vin rouge sur le Net

France
www.vins-bordeaux.fr
www.vins-medoc.com
www.chateau-latour.fr
www.chateau.figeac.com
www.interloire.com
www.chateau-de-villeneuve.com
www.bivb.com
www.domaine-rousseau.com
www.beaujolais.com
www.vins-rhone.com
www.chateauneuf.com
www.languedoc-wines.com

Italie
www.agriline.it
www.astidocg.it
www.brunogiacosa.it
www.chiantinet.it
www.avignonesi.it
www.sassicaia.com
www.fonterutoli.com
www.masi.it

Espagne
www.riojawine.com
www.riojaalta.com
www.do-ribera-duero.es
www.principedeviana.com
www.enate.es
www.torres.es
www.enovins.com (Baléares)

Allemagne
www.deutscheweine.de
www.vinum.com

Autriche
www.weinausoesterreich.at
www.austrian.wine.co.at

Suisse
www.wein.ch
www.winecity.ch

Etats-Unis
www.wineinstitute.org
www.oregonpinotnoir.com
www.washingtonwine.org

Argentine
www.argentinewines.com
www.wineplanet.com

Chili
www.vinasdechile.com

Australie
www.wineaustralia.com.au
www.winepros.com
www.winetitles.com

Afrique du Sud
www.wosa.co.za
www.wine.co.za

Illustrations

La majeure partie des photos ont été réalisées par Armin Faber et Thomas Pothmann, Düsseldorf.

A l'exception de :
12 : Erill Fritz , Cologne
34, 35 : Getty Images – photos : Peter Beavis
36, 37 : Walter Skoff (album familial)
38 : Erill Fritz, Cologne
42/43 : Ralph Steadman
51 : Getty Images – photo : Hulton Archive
Cartes (pp.) 61 et 62 : Rolli Arts, Essen
61, 2ème photo à droite : André Dominé, Trilla
Cartes 65, 67, 69, 71 : Rolli Arts, Essen
71, 3ème photo à droite : André Dominé, Trilla
Cartes 73, 74, 77 : Rolli Arts, Essen
81 : Udo Matzka, Frechen